中国科学院院士、国家自然科学奖获得者 张景中 领衔创作

天梦奇旅 第四卷

小学数学实验漫画版

张景中　张 矩　黄子睿／著

科学普及出版社
·北 京·

图书在版编目（CIP）数据

天梦奇旅. 第四卷 / 张景中，张矩，黄子睿著. — 北京：科学普及出版社，2017.1

（小学数学实验：漫画版）

ISBN 978-7-110-09347-4

Ⅰ. ① 天… Ⅱ. ① 张… ② 张… ③ 黄… Ⅲ. ① 小学数学课 – 教学参考资料 Ⅳ. ① G624.503

中国版本图书馆 CIP 数据核字 (2016) 第 244837 号

策划编辑：杨虚杰
责任编辑：汪晓雅
装帧设计：犀烛书局
责任校对：杨京华
责任印制：马宇晨

出　　版：科学普及出版社
发　　行：中国科学技术出版社发行部
地　　址：北京市海淀区中关村南大街 16 号
邮　　编：100081
发行电话：010–63583170
传　　真：010–63581271
网　　址：http://cspbooks.com.cn

开　　本：787mm × 1092mm 1/32
字　　数：120 千字
印　　张：6.5
版　　次：2017 年 1 月第 1 版
印　　次：2017 年 1 月第 1 次印刷
印　　刷：北京科信印刷有限公司

书　　号：ISBN 978-7-110-09347-4 / G · 3985
定　　价：19.80 元

关于作者的那些事

张景中爷爷年轻的时候喜欢写诗，也喜欢做数学题。后来题越来越难，20 年前题就难到特别不好做的时候了，张爷爷就成了中国科学院院士。可是张爷爷还喜欢写书给小朋友看，比如《数学传奇》《漫话数学》《数学游戏的故事》《少年数学实验》。

张矩叔叔小时候做不好张爷爷（那个时候叫张叔叔）出的题，所以到美国去念了计算机科学的博士学位。现在在中国科学院重庆院守着一万多个核的超级计算机（反正就是很厉害）做天气预报跟基因分析计算的时候补做数学题。张矩叔叔特别喜欢听人家讲故事。

黄子睿姐姐小时候喜欢跳舞、喜欢听故事、喜欢讲故事、喜欢过家家。现在长大了学会了编故事，还喜欢找其他哥哥姐姐一起编故事。

葛良叔叔小时候没有上过课外美术班，自己就喜欢画画。后来长大了就给小朋友做动画片，做过《熊猫晶晶》《洛克王国》的原画指导，还制作了《熊小米》给特别小的孩子看。现在领着好多哥哥姐姐给大家做漫画。

关于内容

慧之元神千百年间都附身在有灵性的物体身上，回答主人的问题。最近风华小学三年级懒癌学生夏小梦的生活可不平静：家里8个月大的弟弟突然开口叫他“主人”；新来的数学老师帅气又神秘；还有学校后山古堡，究竟藏着什么？

夏小梦在弟弟和朋友的帮助陪伴下，不仅在探险中提高了数学成绩，还学会了爱与责任。

序

《少年数学实验》完成以后，张景中院士一度雄心勃勃着手准备一本《小学数学实验》，可惜因事务繁冗未能一鼓作气完成。张矩看到已完成部分，虽然按张景中既有著作风格不够独立成书，然而参照国外数学漫画的形式，足够出版五六本小读物了。张景中从事基础教育科普工作30余年，深感青年人的参与对于科普工作十分珍贵与重要，探索漫画科普创作之路这一理念也得到了张院士的积极支持。因此，黄子睿在重庆邮电大学征召了十几位爱好写作的本科大学生，绝大部分是理科学生。他们把故事编得可读性强，努力揣摩小弟弟、小妹妹的兴趣所在。葛良从事动漫工作多年，近年涉足幼教动漫，对高年级教育动漫开发的挑战有深刻理解。托国家近年大力发展动漫产业的福，葛良得以找到一批年轻漫画工作者参与我们的工作。作为创作方式的一个实验，我们尽可能在每个部分体现多名写作人员与多名漫画创作人员的合作。筚路蓝缕，举步不易，然终成果实，不惧尚有瑕疵，亦呈现给读者，以求指正。企望团队从此出发，日夜磨炼，修正不足，不断成熟。

张 矩

2016 年 夏

目录

主要人物介绍

夏小梦：

本书主角，小学三年级学生，夏小天的姐姐，拥有酷酷的性格。

易佰分：

小梦班上的学霸，胜负心极强，经常引起他人的反感。

布慧庞：

小梦的同学，吃货一枚，小梦的好朋友，为人憨厚，懂事善良。

姚爱国：

小梦班的班长，一个中二病的热血直男。

美琪：

小梦班的班花，家庭富裕，受班上男生欢迎，爱耍小性子，非常自恋。

李斯特：

小梦学校的数学教授，头脑灵活，学识丰富，外表俊朗，为人自信，受全校师生喜爱。

迪卡卡：

小梦学校校长，原是全球排名第一的拉弗儿大学的数学系高级教授，为人睿智低调。

张玲：

小梦班班主任，职业女性，循规蹈矩，服从上级爱护学生。有更年期轻微症状，易被激怒。

夏小天：

夏小梦的弟弟，八个月大。外表看似呆萌，实则是 IQ 超过 200 的天才宝宝，经常黏着姐姐夏小梦。

第一话 狩猎开始

慧之元神，你终于落到我手里了。

秘之罗盘的符文缠绕可辨慧之元神，缠绕着光芒白色为无关者，金色为慧之元神附身物。
由白到金，颜色越深，缠绕着关系跟慧之元神越密切。

竟然不是……
不过慧之元神
一定跟它有关。

怎么钥匙变了？
哈哈哈，魍魉，听说你附在数学老师身上啦，
那么你一定知道怎么把原来的钥匙切割拼凑成现在的钥匙咯。

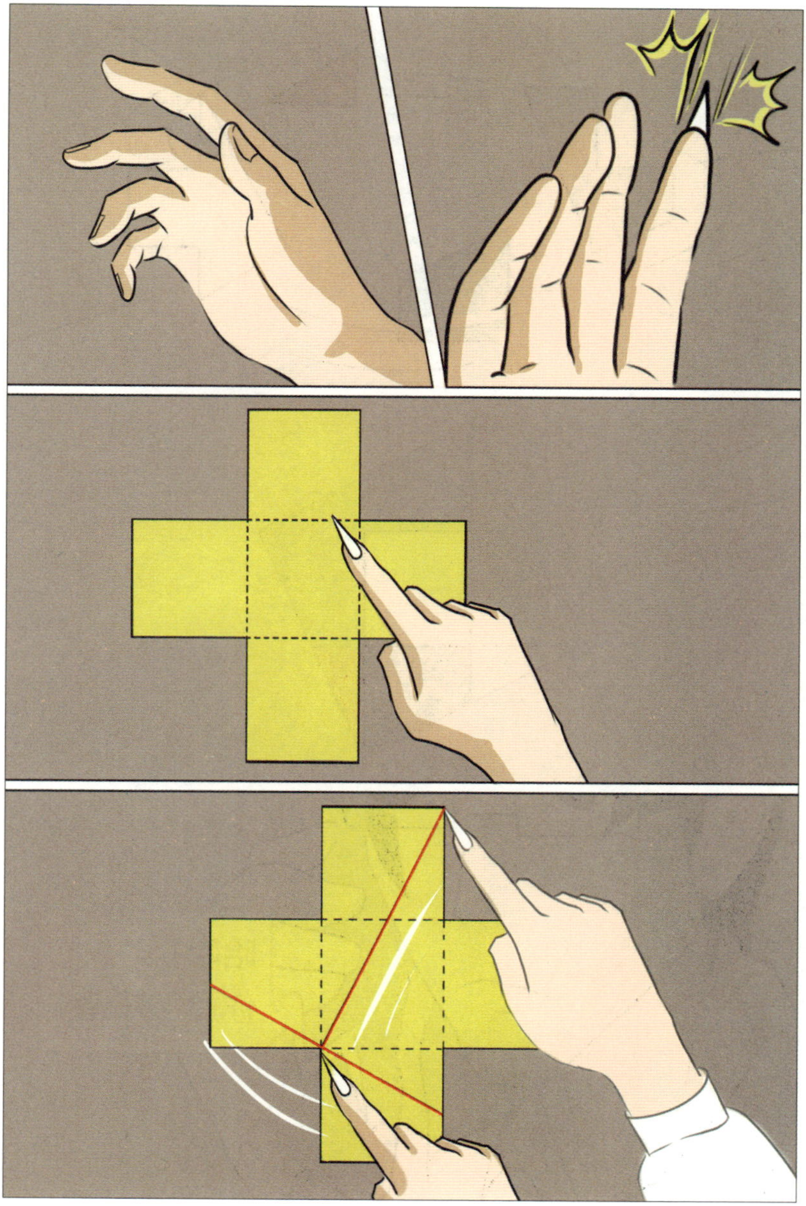

哈哈！
你竟然知道！

哼，虽然形状变了，面积可没变。假设之前的钥匙由五个小正方形组成，每个正方形边长为 1，那么总面积就是 5，这样就能推测出新正方形的边长为$\sqrt{5}$。
唔，这个太难，你可能听不懂。换个简单的来说。
比如说有两个面积相同的正方形，要通过切割组合成大正方形。

假设两个正方形面积为 1，这样我们就知道其边长为 1，同时也知道大正方形面积为 2，边长为√2。由勾股定理可知，小正方形边长为 1，那么其对角线边长为√2。如此，我们就能将小正方形按对角线切割后再拼凑成大正方形。
√2
√2
基本原理你听懂了吗？
啊，你在讲什么，什么是面积，什么是边长？
我竟然跟妖怪讲数学。

美琪！跟我换！
美琪！跟我换！

我这可是纯种牧羊犬。
你那是中华田园犬好吗！
美琪，你看这蝌蚪，以后会长成青蛙的！
哼，我才不跟你们换呢。

你的兔子呢?
我拿给慧庞了。
呐，给你。
啊?
上次春游，谢谢你。
哦，小事儿。

嘿嘿，真可爱，它叫什么名字啊?
哈哈，它是美美,这个是妹妹，琪琪。

Oh my god!
她们居然成了朋友！
看来只剩下我们两个了。
那我们交换吧。
嗯！

咔咔咔……

蚩尤战败于炎黄，在弥留之际为其部下开辟了一个世界，从此遗留部下屈居此界，称之为暗界。

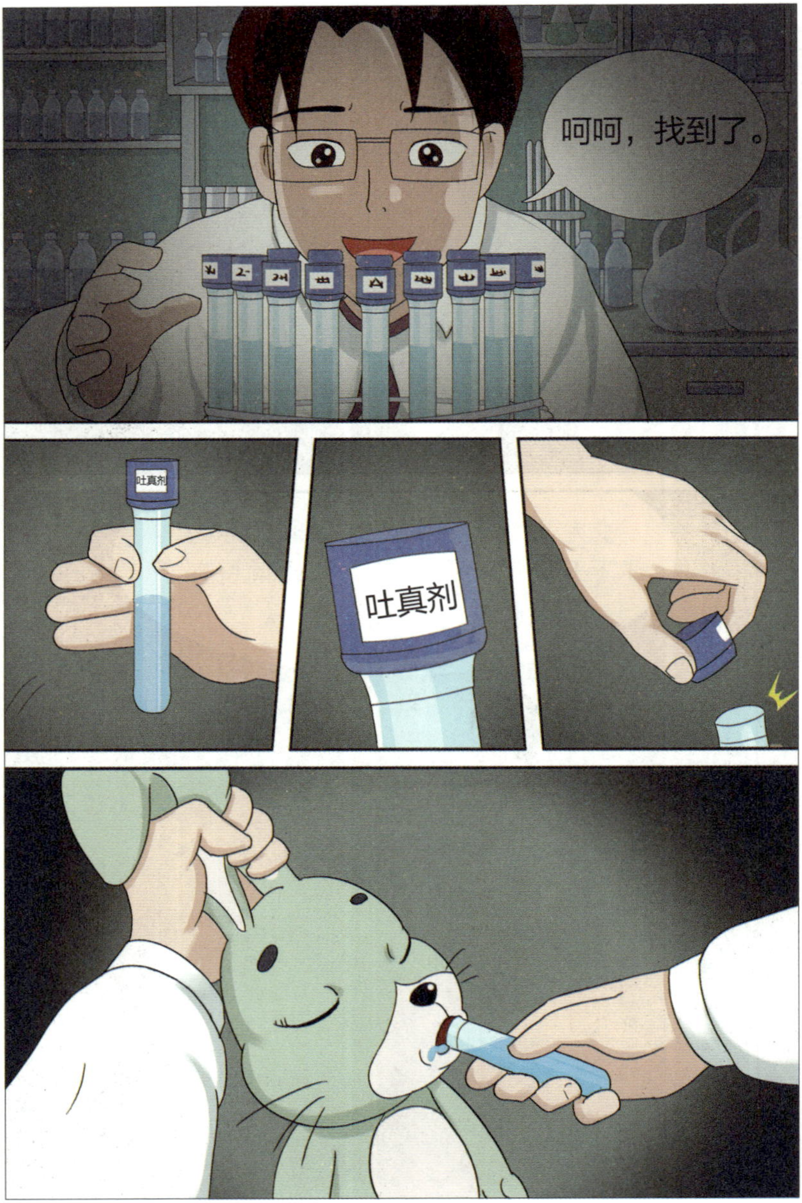

呵呵，找到了。
吐真剂
吐真剂

不好！
有东西
在捣鬼！

这么巧在小梦
学校的方向。
不知道小梦会
不会有危险。
嘿！
飞呀。
飞呀！飞呀！

嘎嘎~
嘎嘎~
嘎嘎~
不管啦，先去学校找她！
咕鸡蘑菇鸡，蘑菇鸡炖鸡。分身！
嘭！~
?!

神呐！难道我封印太久，法术错乱了？
不行不行！
再来一次！咕鸡蘑菇鸡，蘑菇鸡炖鸡。分身！
嘭！～
嘭！～
嘿嘿。
呵呵。

你！
去睡觉！
是！
长官！
耶！
睡觉觉！
呼呼～
哼。
咕鸡蘑菇鸡，
炖鸡蘑菇鸡。
隐身！

哈哈！
走喽！

也不知我的隐身术
可以维持多久……
吱吱
叽叽
吱吱
叽叽
曾被慧之元
神附身吗?
叽叽
那就用你来找
出慧之元神吧。

第二话 豆豆不见了！

三年级四班
慧庞！
慧庞，豆豆呢？
在……在李老师那儿，我……刚刚……

没事啦，原来李老师这么喜欢我家豆豆啊。
嘿！
怎么这么温柔啊。
啊！

小梦，我脸上有东西吗？
放心，我开启了密语传音模式，其他人是听不见我们说话的。
嗯。
啊哈哈哈，我眼花了，
我们去找李老师吧。

你来这干嘛?
我感应到学校周围有邪气。
教师办公室

我出去给小兔子准备食物了，结果回来一看，小兔子就不见了。

没事的，老师。我们去找找。豆豆很乖，不会乱跑的。
……

豆豆！
豆豆！
豆豆！
这房间里充斥着邪气，我怀疑李斯特是暗之元神那边的人。
怎么可能，李老师这么温柔，快找豆豆！
哎，小孩子就是好骗。

小梦！慧庞！
你们在找什么呢？
我们在找豆豆。
对不起，小梦，都是我不好。
没关系，我们再找找。

我跟你们一起！
好！我们就成立一个侦察小分队——侦破这起豆豆失踪案。
各队员听命，即刻出发！

四班
哎，好吧。
走哦！
慧庞，你先走，我把猫咪安顿好，随后就来。
好的。

小明!
哦?

帮我照看下猫咪。
哦。
拜拜！

豆豆！
豆豆！你在哪儿啊？豆豆！
豆豆！
豆豆！
豆豆！

怎么办啊，学校四周都找遍了，还是找不到。
我再去找找。
其实还有一个地方我们没有去。

后山的城堡！
听同学说那里闹鬼呀。
不管怎样，我都要去看看，要不你们先回教室吧。
……
回什么回啊，大家一起冲进去救人，不，救兔啊！

啊，那里面可是闹鬼的。万一……
根据科学研究表明，世界上是不存在鬼的。万一真有鬼，来一个我收一个，来两个我收一双。
对，救豆豆要紧！我也要进去。

好，那我
也去！
你们……
谢谢了。
出发！
……

校长，这是我们班最近的成绩单，请您过目。
嗯，放那儿吧。

最近，夏小梦同学的数学成绩进步了不少，不知道是不是有什么“高手”指导她。
哦，有同学进步了。李老师的功劳不小啊！

哪里哪里。
到处都是！
或许小梦同学有什么“智慧锦囊”吧。

小鹰只有经历了磨炼，才能在高空振翅翱翔啊。
啊？您说什么？啊。
李老师，我的花修剪得漂亮吧？

第三话 古堡城门魔咒

好阴森，我们还是回去吧。
出发吧，勇士们！敌人的修罗场就是我们的英雄冢！

哼！
呸呸呸，晦气！是百战百胜，所向披靡！
冲啊！
冲啊！
推啊！
啊呀呀呀！

啊！
啊！
怎么回事？
累死了，门怎么
还不动啊。

实在是推
不动了！
哎，没劲儿了！
……
隐身术失效…

这不是普通的门，小梦你看这上面的纹路。
小……小梦，你弟弟怎么在……在这儿？
迟钝男
?!

呃，这是你们的错觉，错觉。
天呐，这不是你弟弟吗，怎么会飞了！
隐身术失效了。

啊！
鬼啊！
哇！
哇！
啊！
啊！

砰！
哇！哎呀！不是，不是。你们听我解释啊！
解释……什么……

小梦，不会
你也是鬼吧？

不是。

那到底怎么
回事？

既然这样，我就实话实说了。
其实……其实我弟弟是被慧之元神，哦，就是一种神仙附体了。
今天，他感知到学校里有异样，特地赶来保护我。

事情经过就
是这样……

原来如此！
我要看看！

……
哼，难怪，我就说最近你怎么变聪明了，原来是因为你弟弟啊。
哈哈！对啊！
嘻嘻！

你们怎么接受得
这么快?
难道这世界上
没有神仙?
现在的神仙这么可爱
啊，好想抱抱。

……
好了，言归正传。
这门上面有古老的符咒，被施了强大的魔法。

啊？那
怎么办？
念段咒语试试，阿不
拉卡利卡西碰，阿不
拉卡利卡西碰……
美琪，你这个
没用的。
我研究了一下，咒语是
可以破除的。

你们看！
齐刷刷
注意力集中
注意看这些
镂空图案！

再看看这个！

它们之间一定是有联系的。
小天，这是什么啊？
这个是七巧板吧？

不错，这个魔咒就是关于图形的拼接。
每一个数字对应每一块拼图。
1. 原件
2. 拆解后按照符文形状组合
列举一个图形变化。
3. 组合完成!
意思就是我们得用这个正方形里每一块拼图，通过旋转，平移。

用它拼成可以完美填装镂空处的图案，大门才能打开。
可是……有六个图案，只有一个正方形，不够呀！
咦？

咦? 这个正方形是啥?
咔
3
4
6
1
5
2
唰!

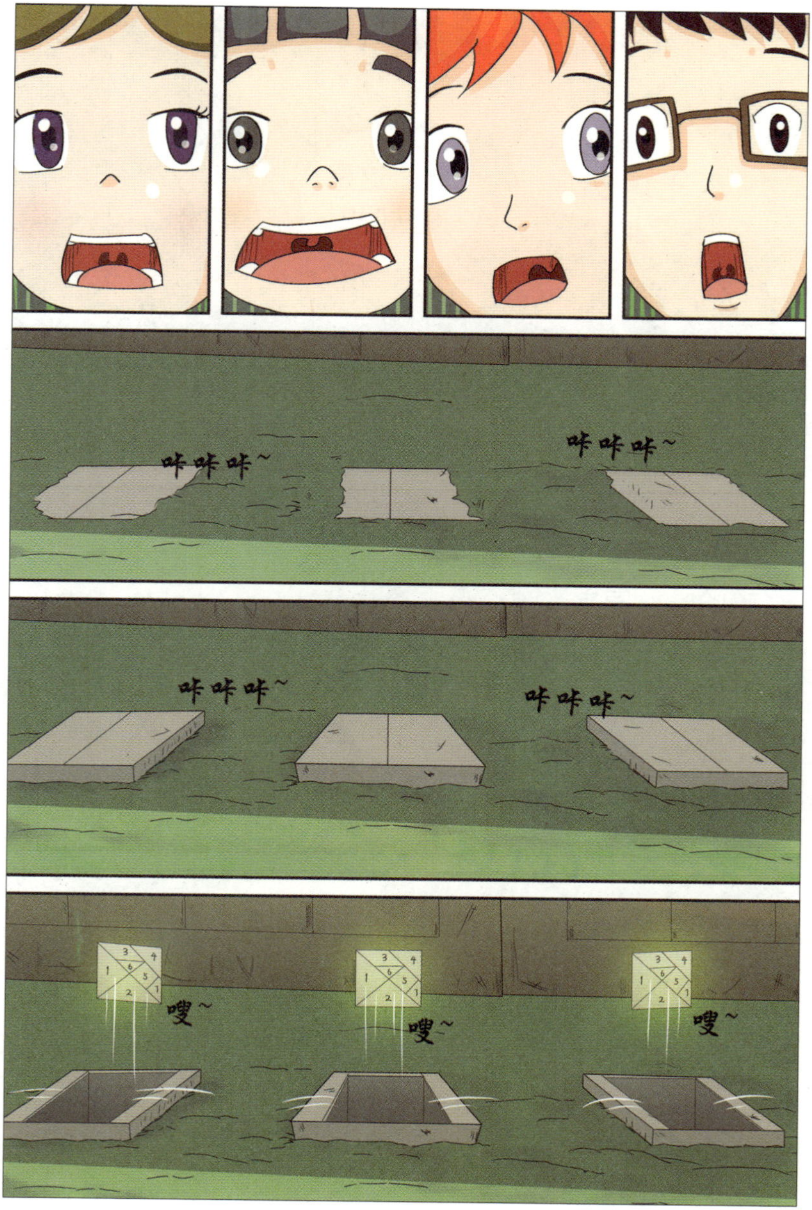
咔咔咔~
咔咔咔~
咔咔咔~
咔咔咔~
嗖~
嗖~
嗖~

冒出这么多七巧板！
哇！这是魔法吗？
哈哈哈，原来是这样！我们开始吧！
各就各位！

它们像气球一样浮在空中……
按照上面的符文每人拼一个图形。
还挺好玩的。
完成了！

咔
咔
咔
轰……

吱吱吱…
耶！
太棒了！
门终于打开了！
好黑，我们手拉手，
一个都不要走丢。

第四话 三个公主

怎么……这
么……黑啊！
小梦，你在我身
边的吧？
大家手牵手，
不要离开队伍。

小不点，会变
手电筒吗?
这点法力我
还是有的。
麻利麻利
哄!
嘭!
耶!

哟嚯！
嗒嗒
嗒嗒
嗒嗒嗒

哇！总算能看清楚一点了！

哎呀，谁踩
着我了。
啊嚏！
你们有谁看见我
的水晶鞋了吗?
啊！这是
什么?
你们有谁看见我
的水晶鞋了吗?

水晶鞋?
你是麻雀姑娘?
你怎么反应这么快!
对呀，我怎么会知道麻雀姑娘，我怎么会喜欢看童话故事。
我难道要告诉他们我的床头柜里的粉红小兔才是我的最爱?

麻雀姑娘，哈哈哈！
不不不，绝对不可能！
我们肯定是进入了幻境。

光线散开
？！

难道是泡泡公主
和小迷糊?
我明明就要化为泡沫,
怎么我来到了这里?
我不是被针扎了一
下吗,为什么会睡
在野外?

我们明明是来找豆豆的，怎么会遇到童话里的人物？
什么呀，我们不是童话里的人物！我是麻雀姑娘！
我是小迷糊！
我是泡泡公主！

……
嘭！
我来查看一下情况！

小天！
你看什么呢？

糟糕，时空错位，
我们被困住了。

切！这个幻境也太low了，这么大的一个bug，全是山寨版的公主！
公主们！
砰！
我愿意为你们效劳，请问有什么需要？

小不点，这怎么回事儿啊?
姚爱国，你别跑题。
看来，只有让一切恢复原位，才能打破幻境。
怎么样才能恢复原位?
应该就像童话故事一样。

就是帮麻雀姑娘找到水晶鞋，送泡泡公主回到大海，送小迷糊回古堡。
你怎么这么清楚童话故事？
公主们！
让我这个勇士来守护你们吧！

姚爱国！
哎呀！
咚！
呵呵！
听我说！
你们安静一下！

错位点在高空中，我来找，你们几个就负责护送公主们，大家分组吧。
这里时空错位，不仅需要护送公主，还需要去找错位点。
美琪！

美琪，我！我！让我跟你一组吧！
美琪！和我一组！
美琪，跟我一组吧，让我来保护你！
匹夫之勇！面对危险，你怎样化解？还保护美琪呢。

别满口酸话。你能干什么？有危险就躲到一边了。
像你这么冲动，只怕会带来更多的危险！
你说什么？！

起什么内讧！
都听我的！
易佰分，你和美琪
一组，你们帮麻雀
姑娘找水晶鞋。
姚爱国，你
护送小迷糊
回古堡。
Why not?
为什么啊？

姚爱国，我们这里只有你最勇敢，你不是真正的骑士吗？！
可是美琪……
……
哎，不管了！找豆豆要紧！
一会儿，天快亮了！

咦？怎么天就要亮了？爷爷不让我在外面留宿的…….
我们正处于城堡里的幻境，时间流速比外界快大概 10 倍。
那大家休息一会儿，天亮后出发，争取放学前完成任务。

这是千里传音符，你们每人带一张，随时保持联络
是!
是!

....
ZZZZ
ZZZZ

按照北斗七星的走向，古城堡在……大海在……水晶鞋可能出现在……
找鞋我不擅长，可是要用数学知识来解，那不是小菜一碟。
离开了小不点，我真的可以吗?
清晨
大家分别启程……
联络器在身边，我可以随时问他，嘿嘿。

第五话 海藻拼凑的密码

以前我只需要把右手放进这个玉盘中，我家大门自然就开通了。可这次怎么了？
我把手放进去，竟然出现5个方框，底下还有“0”到“9”10个数字，这是什么意思啊？我回不到家了，我父王不要我了吗？

看来海王震怒，不让泡泡回家，我们怎么办？
实在不行硬闯呗。
输入数字密码
什么数字密码，这里哪有数字啊？看来是进不去了。
父王，您真的不爱女儿了吗？您就忍心抛弃女儿了吗？

您还记得您用海藻拼成角，教我量角度的事吗？
您还说，我是您最聪明最可爱的女儿，不仅能正确量出角度还能区别它们的类别。
……
海藻……
停！你说你父王教你学习角知识还是用海藻拼的角？
对啊，每次我都能正确区别。小梦，这和我回家有什么联系吗？

小梦，这会儿不是回忆泡泡和她父王温馨故事的时候，还是赶快想想怎么找到正确的数字密码吧。
你看这是什么？
海藻啊。
那它们排列的图形像什么？
好像是角啊。

是啊，就是角。可是这和数字密码有什么联系吗？
这就对了。泡泡！
你看提示只要正确量度出大门口几列水藻所组成角的大小，并正确判断角的分类。
按锐角，钝角，周角，平角，直角分类计数，这样恰好构成5个数字，那么这就是密码了！
45°
锐角
110°
钝角
360°
周角
180°
平角
90°
直角

大门口上，海藻两边排列得那么长，怎么测量角的大小呢？以前父王拼的角都很小的。
……

对了！李老师昨天教过。
角的大小看两条边叉开的大小，叉开的越大，角就越大。角的大小与角两条边的长短没有关系。

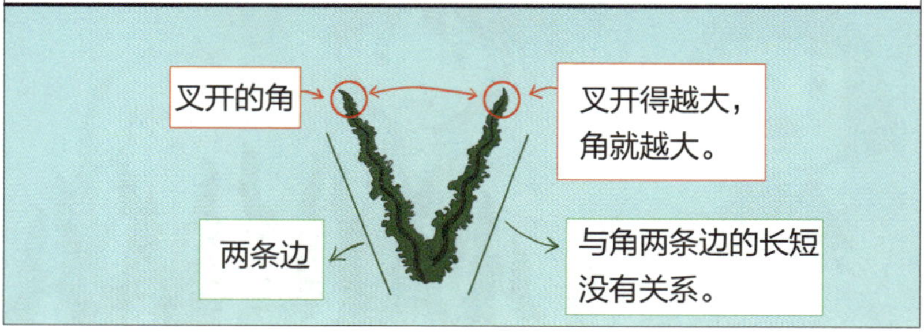
叉开的角
叉开得越大，角就越大。
两条边
与角两条边的长短没有关系。

就像用放大镜看角时，放大的是角的边，不改变角的形状。
放心吧。
根据角的大小与边长无关可知角的度数不会改变。
好了，我们现在就开始量角吧。还好这些海藻排列的都比较合适，刚好在我们胳膊以下的位置！

太棒了，泡泡快去找找量角器吧！
我刚好带了有量角刻度的棒棒糖，可以吗?
哈哈哈，你的棒棒糖派上大用场了。

我们来量，
泡泡你来记。
好的。
咕咕
咕咕
咕咕

半小时后……

都量好了。泡泡，
你记得怎么样?
我也数好了。锐角 1 个，
钝角 3 个，周角 4 个，平
角 2 个，直角也是 2 个。

那密码就是
13422！
不一定。密码
也有顺序啊。
泡泡，你知
道密码的顺
序吗?
什么顺
序啊?
泡泡，你再好好想，当初
你父王有没有说其他的呢?
其他的?

就是说，比如你父王在教你角的时候有没有什么顺序之类的？
有了，父王在教我关于角的知识时，就是按照锐角、钝角、周角、平角、直角的顺序。
啪
那么我依次填入这些数字就好。
嘟
嘟

门开了！
泡泡公主，父母对子女的爱也是不会改变的。你父王还记得他教你学习角的知识。
他没有忘记，怎么可能抛弃你呢，快回家吧！
谢谢你们。
再见！
任务完成！
再见！小梦，慧庞。

第六话 寻找水晶鞋

麻雀公主的卧室

太累了，我不找了！
我们这样就像没头的苍蝇在乱撞，一点线索都没有。
可是，没有水晶鞋我就去不了舞会了。
那就换一双鞋子呗。

这个，不可以。
为什么?
在童话故事里，我必须穿那双鞋去舞会的。
我晕！这个 bug 真敬业。

麻雀，我和妈妈去参加舞会了。对了，你的鞋子被我们藏起来了。我们也只是想锻炼一下你的智商，如果太低了还是不要出席舞会丢人了。解出难题才能找到你的水晶鞋，善良而又美丽的我给了你一个提示。祝你好运，再见。
爱你的姐姐
嘿嘿

哦！不！继母和
姐姐藏起了我的
水晶鞋！
狠毒的继母！阴险的姐姐！
她们最终都会恶有恶报。
嗯？你说什么？

没什么。麻雀姑娘，还是有机会找到水晶鞋的。
对啊，信上还有提示。
——如图用小正方形组成的L形图，请你用三种不同的方法分别在下图中添画一个正方形使它们成为三个不同的轴对称图形。

这不是轴对称图形吗?
依据轴对称图形的含义，即在平面内，如果一个图形沿一条直线对折，直线两旁的部分能够完全重合，这样的图形叫作轴对称图形，据此即可完成做图。

麻雀姑娘，你看到这些图形，有什么线索吗？
这个很像游戏里的俄罗斯方块。
我想到了！水晶鞋应该是放在了俄罗斯方块密码箱里！我们去找找。

请问，数字0、1、
2、3、4、5、6、
7、8、9中有哪些
是轴对称图形？

哼！同样的问题别想难倒我第二次！
01234
56789

轴对称图形，嗯，这条直线就是对称轴。很明显嘛，0、1、8是轴对称图形。密码箱的密码就是018了。
不对啊，密码是4个。
0
0
0
0

咳咳，这个……另一个密码是……
3
数字 3 也是轴对称图形。

duang--
十点钟了——

祝你好运，
美丽的公主！
一路顺风！
再见，谢谢你们。

再见！
美琪，其实你比公主美丽多了。
哼，那当然！
任务完成！

第七话 爆裂吧！黑巫术

玫瑰花包围的古堡

就是这辆纺车！刺破了我的手指，害得我大梦百年，一睡不醒。
我这就把刺破你手指的纺车砸烂！

不行啊！
不行啊！
怕什么，快让开，我要砸了！
不行啊！巫婆告诉我说不能轻易乱动纺车，不然城堡会坍塌的啦！
这么麻烦啊。那我们岂不是进不去了。

姚爱国，姚爱国。
小天，我们遇到了点麻烦。

我听到了，这位巫师的诅咒居然能摧毁整座城堡，她必定用的是尼斯赫密士时期的黑巫术，此法破坏力极强。
啊？！
哼，越强大的巫术，破绽也会越大，你们先仔细观察周围有没有特别之处。

嗯！交给我吧！
A'
B
C'
A
C
三角形 ABC 顺时针旋转 90°就到了 A' BC'。

旋转？顺时针？
顺时针就是指和钟表的转动方向一样的转动。
1
3
6
9

那么顺时针旋转 90°就是时针从 6 点转到 9 点?
没错，旋转就是在一个平面内，把图形绕一个定点旋转一个角度的图形变换。

就这么简单?
越危险就越安全，越明显就越意想不到。
对对对！其他来营救小迷糊的王子们肯定都想得太复杂，所以什么都不敢做！其实就这么简单！

要注意旋转的三个要点：旋转中心，旋转方向和旋转角度。
好！

就是这里。

任务完成!
任务完成!
任务完成!
任务完成!
任务完成!
就是现在!

第八话 谁是真正的勇士

总算回来了，安全着陆。
等等，你们听。

哈哈哈哈~~~
哈哈哈哈~~~哈哈哈~~

啊！
好不容易回到现实世界，怎么又遇到鬼了。

勒墨咒
玉帝有勒，神墨灵灵。
形如云雾，上列九星。
神墨琢磨，霹雳纠纷。
急急如律令……

大家别怕！这可能又是幻象。
我们都不怕！

你难道不怕我吗?

小梦！
有什么冲我来，不要伤害我的朋友。

大不了我们和
他们拼了！
再往前面走，
就得葬身暗狱
烈火之中！

我们和你们拼了！

哈哈哈哈！终于出现了，
拥有勇敢之心的孩子！
我们有救啦！
很久以前，城堡一片安静祥和。我们都是城堡中的物品，后来，我们受到一个神秘人的诅咒变成鬼怪，只有找到拥有勇敢之心的孩子，咒语才可以解除。
我们之所以会吓唬那些无辜的孩子也是……

噢！那就怪不得大家都说这后山的古堡闹鬼了。
孩子，听说你们是为了寻找宠物兔而来到这里，趁我们还有些法力，就送送你们吧！

糟糕，分身术要到时效了，我得赶紧回去。

快看，镜子里面好像有通道啊。

很好，这就是出口。
真是受不了他，完全不判断就直接走进去了。

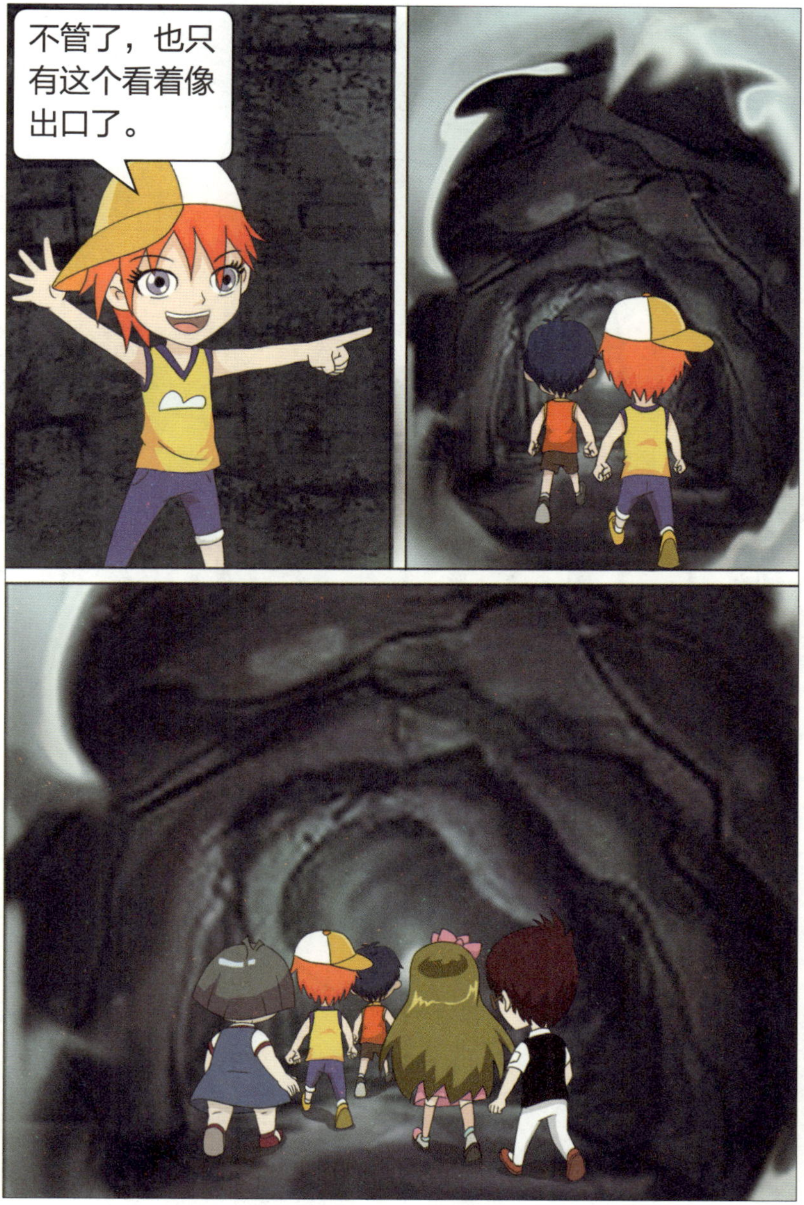
不管了，也只有这个看着像出口了。

第九话 一切才刚刚开始

城堡的密道

哇～哦～

不是吧，又来到了幻境中。
哎哟！
是真的。

咦?
我怎么觉得这里这么眼熟啊?

李老师的
办公室!
天呐，这到底
是怎么回事?

你们怎么
在这儿?

李老师，我们……我们……
我们是来找豆豆的，无意中找到这里来的。
李老师，对不起。

哦。
豆豆突然跑回来了
还受了点伤，我正打算帮它治疗呢。

是吗？好可怜的兔兔啊。
大家一起帮忙吧。

怎么老师一说，豆豆就跑了，
老师一说，豆豆又回来了。

谢谢李老师！我们
先回教室了。
不客气，哦，对了，
我这有些巧克力，

慧庞，你分给大家吃吧。

谢谢李老师！

再等等鱼儿
就上钩了。

番外

光阴飞逝～～

山脚
停！

黄大师啊，张总特别吩咐。
只要您能把这里头不干净的东西清理走。
来年这楼盘修好，就送您一套花园洋房！

走进山
我扬名的机会到了！
跟我来！

山中·树顶
姐姐！你看！
现在人类也像我们一样可以在天空中飞翔了！

是啊，人类的能力越来越强大了。
哈哈，再厉害也厉害不过魍魉哥哥。
哎……
我以后也要像哥哥一样厉害，哈哈哈。

山脚·树林
这群人要做什么?
突~突~!

又是什么新武器?

别以为能瞒住我!

可恶!
绝不轻饶你们!
呜~呜

!
移位！
咻——！

咔嚓！

抓紧把这片都砍了。
!
呜~呜!

新楼盘下个月就
要开始施工了。
可恶!

都这么久了，怎么黄大师还没回来，不会出什么事儿吧？
瞎操心！黄大师可是伏魔道人第四十三代弟子呢！
!!

那个黄大师去哪里了?
!!
妖、妖怪!

往……往山顶去了。饶命啊。
不好！
雪薇，等我……